LE TOUT DERNIER ÉTÉ

Anne Bert

Le tout dernier été

Fayard

Conception graphique : Antoine du Payrat

En bande : © Philippe Mastas/Leemage

ISBN : 978-2-213-70552-1

Librairie Arthème Fayard, 2017

Dépôt légal : octobre 2017

« Article 6. – La liberté est le pouvoir qui appartient à l'homme de faire tout ce qui ne nuit pas aux droits d'autrui : elle a pour principe la nature ; pour règle la justice ; pour sauvegarde la loi ; sa limite morale est dans cette maxime : *Ne fais pas à un autre ce que tu ne veux pas qu'il te soit fait.* »

Déclaration des droits de l'homme et du citoyen

Avant-propos

Je me suis encore laissé surprendre. Les lilas, ce matin, ont fleuri derrière mon dos.

Hier, je suis pourtant allée les visiter de très bonne heure. Sous l'écorce des bourgeons, affleurait un délicat grenat, rose, mauve.

Ils ont dû s'épanouir dans l'après-midi, quand je ne les regardais pas.

Cette année, je n'ai pas pu en cueillir. Ils n'ont pas embaumé la maison. Alors je les ai contemplés et respirés longtemps, le nez dans les grappes.

Je voulais emporter leur parfum en moi. Celui un peu lourd qui me rappelle le jardin de mon arrière-grand-mère. Et leur couleur, celle des vieilles dames, des disparus et des adieux.

J'espérais être bouleversée. Mais il a fallu me rendre à l'évidence. L'émotion de les voir fleurir pour la dernière fois n'était pas plus intense. J'éprouvai la même que l'an dernier. Pas plus.

J'étais juste désolée de voir le lierre courir sur leurs branches et les menacer.

Plus tard, ma mère est venue prendre un café avec moi. Nous nous sommes installées dans le jardin pour discuter, face à la haie.

Tout doucement, je lui ai dit : « C'est la dernière fois que je les vois. » Et je lui ai raconté ma rage du matin, celle de ne pas avoir senti mon cœur battre plus vite en prenant conscience que, pour moi, ils ne fleuriront plus.

« Pourquoi n'ai-je pas versé de larmes ? Pourquoi ai-je regardé le lierre en espérant qu'il ne les étouffe pas, ou qu'une sécheresse ne les fasse pas crever ? »

« Ça j'en suis sûre, lui ai-je dit enfin, la mort des lilas m'aurait fait pleurer. »

Ma mère a effleuré ma main et m'a répondu : « Lorsque je suis assise au salon, à regarder mon si joli jardin, je pense parfois qu'il pourrait être l'heure de fermer définitivement les yeux. le regard posé sur cette nature que j'aime. Et la seule certitude que celle-ci renaîtra et me survivra m'apaise. »

Ce sentiment partagé avec ma mère m'a rassérénée. Notre mort ne tue rien du monde ni de la nature.

Le moment venu, seule notre existence cesse.

Les lilas continueront de fleurir. L'été de chauffer le jardin, et l'automne de revenir.

Le grand télescopage de l'*être* et du *ne pas être* tient à autre chose, un je-ne-sais-quoi. une impossible expérience dont il n'y a aucune leçon à tirer. rien à rapporter, et tout à romancer.

La mort n'est que fiction. Et dans celle que je m'invente, il n'y a pas de place pour les regrets vains.

C'est contre les autres fables que l'on veut m'imposer que je me bats. Et cette lutte, parce qu'elle m'expose, est une difficile épreuve.

Je n'ai jamais étalé de bon gré la mortalité de mon mal, ni mon image. Mais la maladie est par nature impudique, elle me fiche à poil, dans la rue, partout et se passe de mon accord.

Ce sont la médecine, incapable de m'apporter des soins curatifs, et la France, de m'accorder aide et assistance pour mourir, qui m'obligent à me prêter au collectif, dans l'espoir que cette exposition secoue les consciences et aide chaque Français à obtenir sa liberté de choix.

Cet exercice ne fait que rappeler de plein fouet ma prochaine mort à ceux qui m'aiment et me donne la peine infinie de leur tenir ouverts les yeux qu'ils voudraient tant détourner de l'inexorable.

Sans doute, l'indécence de ma mort gêne.

Moi, j'en fais mon arme, sans jamais me perdre.

Cette femme de papier qui parle de sa mort me ressemble, mais ce n'est qu'une représentation de celle que je suis. Mon porte-parole.

Je fixe les objectifs comme si je regardais le néant, sans photographe derrière. Sur les vidéos, ma voix ne donne que du bout des lèvres ce qui me prend les tripes.

J'assume tout de ma vision de l'existence et crée librement ma propre fiction de la mort.

Loin de celles de certains médecins, celles de conservateurs qui affirment que la vie doit être vécue jusqu'au bout de l'enfer, celles aussi qui nous font oublier que, à l'heure de notre mort, rien de la vie ne s'arrête.

Jusqu'à comprendre que la mort n'est que de la littérature, des mots, des imaginations particulières sur un fait universel : un cœur qui cesse de battre.

Les écrits post-mortem ne parleront toujours que des vivants, et le verbe mourir ne fabrique que des histoires.

Depuis dix ans, j'explore au travers de l'écriture l'insaisissable et l'indicible de l'intime. Ironie du sort, me voilà à en sonder l'inconcevable puisque je suis atteinte de la sclérose latérale amyotrophique (SLA), dite aussi « maladie de Charcot », mortelle à très brève échéance, et qui m'emmure progressivement.

Après la déjà paralysante sidération dans laquelle m'a plongée l'annonce, j'ai décidé d'écrire sur ma fin de vie afin de me réapproprier ce fantasme si intime du mourir, en m'affranchissant de celui que notre culture et la loi française nous imposent.

Dans mon cheminement jusqu'à l'extrémité de mon être, j'ai rencontré des femmes et des hommes de tous horizons et de toutes écoles de pensée, souvent formidablement humanistes et parfois désespérément obscurantistes.

Je ne retiens qu'une chose : jamais, quoi qu'en dise le législateur, il n'y aura d'équité devant la mort, ici ou ailleurs, ni même en soin palliatif. *In fine*, c'est toujours l'équipe médicale en présence qui interprète, selon la propre conscience de ses soignants, ce que dit ou ne dit pas, veut ou ne veut pas, le malade.

Notre liberté ne s'arrête pas à la porte de l'hôpital.

Au terme d'une maladie incurable, le droit, seul, peut nous rendre égaux, nous qui sommes tous des cas particuliers, en nous permettant de choisir de ne pas subir ce que l'on juge, en notre âme et conscience, inacceptable. La mort n'est jamais indigne. Ce qui l'est, c'est de ne pas respecter les valeurs propres à chaque individu.

Enfin, de ce récit, de ce combat, je ne fais pas thérapie – d'ailleurs se soigne-t-on de mourir ? Je n'en fais pas non plus un texte militant.

Non, il s'agit plutôt d'une incursion littéraire sur le rebord de soi. Sur la frontière de l'inexprimable et du silence, entre impressionnisme et surréalisme, je cherche dans le langage les mots qui savent dire ce qui (me) dépasse encore.

À la lumière de ce dernier été que je savoure, si bien entourée et pourtant si solitaire, voici des fragments de ce face-à-face avec la finitude, une histoire qui échappe à la chronologie.

1.
Le point du jour

J'aime me lever avant le soleil, comme si je pouvais devancer la journée.

Ce matin encore, je m'éveille tôt. La nuit a été courte.

Cela fait deux ans que la SLA me vole mes rêves et hache menu mes nuits vides, plus jamais paisibles ni profondes.

La brise des fins de nuit d'été rafraîchit la pièce. Au loin, la hulotte chante et sa femelle lui répond.

La chouette m'a toujours fascinée, mais aujourd'hui c'est différent. Je sais que c'est à moi qu'elle s'adresse.

C'est à moi qu'elle s'offre pour me promettre ces matins doux.

Dans mon lit, les yeux ouverts, je l'écoute. Je reste immobile jusqu'à ce qu'elle se taise enfin, le signal pour me lever.

Les premières lueurs s'infiltrent dans la chambre. La chouette s'est endormie.

Un par un, les merles commencent à siffler, suivis du loriot revenu qui lance de mélodieux *lûolio*.

Je gesticule silencieusement pour tenter de m'extirper du lit.

Une fois levée, je pousse la porte laissée entrouverte et, les jambes raides, descends prudemment les escaliers. Dans la pénombre, j'avance jusqu'à l'entrée de la cuisine en catimini, impatiente de découvrir la promesse du petit matin.

Sur la pointe des pieds, ma main droite recroquevillée positionnée sous ma main gauche, je balance mon buste et le jette en avant pour faire levier sous mon bras, afin qu'il atteigne dans cet élan la poignée et enfin, la fasse basculer.

La beauté de l'aube vaut bien cette lutte infernale. La porte s'ouvre.

Juste pour moi, le concert des oiseaux bat son plein. Aussitôt, j'ai envie de sautiller, mon cœur est une montgolfière qui se gonfle et décolle. Je souris béatement.

Les mésanges, le pinson, la huppe, le rouge-gorge se sont joints aux merles et au loriot. Quelques grammes pour tant de vitalité et de si jolis chants.

Le café gargouille et coule dans ma tasse. Celle posée ici hier soir par des mains délicates, sans me le dire, pour me laisser l'illusion de ne pas être dépendante. Ou juste pour me laisser l'oublier.

Je m'assois sur la chaise, de profil – une position trompeuse de dame assagie –, le visage tourné vers la porte grande-ouverte.

Le chat et le chien se frottent quelques secondes à mes jambes, mais ils ne réclament pas. Ils devinent que cet instant matinal si magique m'appartient, et se fondent dans le décor.

J'ai terminé de siroter mon café à la paille, comme je dois le faire désormais.

Je sors et marche pieds nus dans la rosée pour regarder vers l'est. Les premiers rayons et la lumière rasante éclairent le verger.

Et là, dans cette solitude matinale, j'oublie que je suis condamnée.

L'été se met en quatre pour m'offrir ce répit.

Je flâne dans le jardin pour effleurer les premiers boutons. Je suis aux aguets et sous le charme. Tout m'envoûte.

La rose qui, hier encore fermée, aujourd'hui éclot. Le premier pétale qui tombe. L'herbe qui repousse un peu trop vite ici, à l'ombre des lilas.

Je suis là, bien vivante, dans ce huis clos avec la nature qui se fiche bien du tumulte des hommes.

Le soleil est à présent complètement levé.

Je ne sais pas l'heure, j'ai le temps d'un autre monde, pas celui des montres que je ne mets plus.

Un voisin ouvre ses volets, les premières voitures passent, j'entends des voix insouciantes.

Il est temps pour moi de m'incliner devant cette autre vie qui commence et dans laquelle je ne suis plus.

2.
L'annonce

Instinctivement, je ne me sens pas en sécurité.
J'ai vaguement mal au ventre.

Le bureau est immense, je ne vois rien d'autre
que le volume inutile de cette pièce qui me rapetisse.

J'ai un mauvais pressentiment. Pourtant, je reste
calme et souriante, très attentive. Même pas peur.

Je crâne en ce début d'automne si lumineux.

La neurologue me suit depuis quelques mois. Sa
voix est douce, liquoreuse, presque flasque.

Mon médecin traitant m'a adressée à elle, très
inquiet de mes symptômes évolutifs : la perte
de mes forces, de ma musculature, soucieux de
ma fatigue croissante et de mon amaigrissement,
de mes difficultés à mouvoir mes bras ainsi que de
mon incapacité incompréhensible à faire du vélo.

Après qu'elle m'a questionnée et examinée très longuement, je ne la quitte plus des yeux.

Elle se rassoit derrière son bureau et je l'écoute me décrire avec calme et habileté ce dont je souffre : l'atteinte des cellules nerveuses, l'atrophie des muscles qui ne sont plus commandés.

L'air de rien, elle commente la dégénérescence neurologique, mais sans bienveillance excessive ni compassion. Sûrement pour ne pas m'affoler, comme il sied de le faire pour ménager le patient en cas d'annonce cruelle.

Pourtant, mon cœur tambourine. Le sang tape mes tempes.

Je suis écartelée entre ce que je sais avoir compris et ce que je consens à ne pas entendre. Et je lui en veux de ne pas y aller franchement.

Son attitude me cloue dans un état léthargique. Je ne dis rien, comme une idiote. Cela ne me ressemble pas. Je me déteste et m'entête à rester muette.

Sur une feuille, elle me dessine la moelle épinière, les motoneurones.

À les voir ainsi représentés, je ne pense qu'à une chose : ils ressemblent à des agrafes. Et je la contemple tracer ce qui va m'assassiner.

Je l'implore en silence – « Allez, s'il te plaît, dessine-moi aussi les soldats qui vont donner l'assaut à l'ennemi » –, mais elle repose son crayon et me propose une petite semaine d'hospitalisation bilan pour confirmer cette maladie qu'elle n'a toujours pas nommée précisément. Enfin, elle me prescrit du Rilutek.

Je me sens frustrée, en disette de vérité. Je suis dans le brouillard, insensibilisée.

Je n'ai jamais ressenti un tel néant.

Je ne peux ni bouger ni parler, et me contente d'opiner de la tête et de lui sourire bêtement.

Rien en elle ne trahit toujours l'horreur de la maladie, sa gravité à peine. Je lutte pour ne pas céder à l'anesthésie.

Je retombe en enfance, une petite fille dans son fauteuil trop grand. Je suis Alice aspirée dans le terrier du lapin, projetée dans un monde absurde et déréglé.

La Reine de cœur vient de me condamner. Mais je garde mes bonnes manières d'enfant bien élevée : je ne vais pas droit au but comme j'ai coutume de le faire, je ne m'agite pas et accepte l'évitement, le non-dit.

J'ai honte de moi. Je me protège, je n'ai plus la maîtrise.

En fuyant mon regard, elle rédige le courrier pour l'hôpital, pour mon médecin traitant, et me glisse quand même que c'est inguérissable. Ce mot m'achève.

La petite fille que je suis redevenue lui demande de lui écrire sur un bout de papier ce dont elle souffre.

La neurologue écrit : « Atteinte de la corne antérieure. » J'ai déjà lu ça sur la prescription de l'exploration de la moelle épinière qu'elle m'a fait faire il y a un mois et m'étais alors renseignée.

Elle laisse au service neurologie de l'hôpital la charge de nommer la terrible maladie.

Ce qui n'est pas dit n'existe pas. Dans ma tête tout se télescope.

Je ne veux pas savoir, je ne veux plus rien savoir. Je resterai calme, et n'en demanderai pas plus. Mais je fais ma maligne pour la punir un peu : « Ah oui, je savais bien que ce n'était pas la maladie de Charcot. »

Elle ne cille pas. Et de l'intuition, je passe à la certitude.

Puis, subitement, alors que la neurologue rédige ses lettres, cette corne antérieure fait effet. Une corne, même antérieure, ça encorne.

C'est l'étrange distorsion du sens des choses.

Des émotions affluent, me submergent pour s'évanouir aussitôt, inconsistantes.

Je ne sais pas ce que je ressens. Presque rien tellement tout naît et meurt en même temps.

J'ai des acouphènes, comme une clameur de corrida. Dans l'arène, je suis immobile, un taureau promis à la mort.

Elle relève la tête, je la regarde et fais semblant de ne pas trop comprendre ce qui m'arrive. Une espèce d'amabilité entre la neurologue et moi.

L'impuissance des médecins me touche. Si désolée pour eux.

Pour moi je ne sais pas encore. Je suis *groggy*, arrêtée en plein élan.

C'est fini.

Affichant un pâle sourire, je lui tends la main. La sienne est aussi relâchée que sa voix – peut-être l'abdication face à l'inguérissable.

Je quitte cet endroit où ma vie bascule comme on sort d'une salle d'attente pour aller prendre son train. En partance pour je ne sais où.

J'ai envie de fuir. Je manque d'air, je suffoque. Je ne vois rien des couloirs ni des gens que je bouscule dans l'entrée.

Dehors, la lumière m'agresse, je marche jusqu'à la voiture avec l'allure d'un boxeur K-O.

Je m'adosse à la portière, cherche à m'extirper de ce cauchemar, mais je n'y arrive pas. Sans ouvrir la bouche, j'émets une plainte d'animal blessé. Heureusement, je suis seule. Je n'aurais pas supporté une présence. Je ne veux entendre aucun mot, ni que l'on me touche ou même qu'on me regarde. Pas encore.

Je suis coincée dans un sas, en arrêt sur image. Mon champ de vision s'est rétréci, un cheval avec des œillères.

Pour ne pas voir l'inacceptable, je ne vois plus rien.

Autour de moi c'est un décor de carton-pâte pour un mauvais scénario. Tout me semble factice.

Ma pensée a perdu sa grammaire, je ne sais plus faire de phrase, accorder ni même nommer. Je ne veux pas de cette foutue maladie. Déjà immobilisée, un pied sur la terre ferme, l'autre dans les sables mouvants qui vont m'avaler.

Il faut rentrer à Saintes. Je ne pleure pas, roule le long de la côte.

L'île d'Aix si belle joue l'indifférente. L'autoroute des Oiseaux sous un ciel bleu acier me défie.

J'aurais voulu qu'ils compatissent en se voilant de brume. Leur immuable perfection enfonce le couteau dans ma plaie.

Je m'absente dans le vide. Je fixe le bitume et, à force de scruter le néant, surgit du goudron noir une nuit étoilée, des milliards d'étoiles qui faiblissent et s'éteignent les unes après les autres.

Je flotte, satellisée dans cette voûte céleste. Les battements de mon cœur résonnent dans ma poitrine tellement c'est terrible, mais je ne verse pas une larme.

Suis-je normale de ne pas m'effondrer ?

Après quelques kilomètres, je m'arrête sur une aire et téléphone à ma fille qui attend le résultat de mon rendez-vous. Elle me presse de la détromper :

« Ce n'est pas la maladie de Charcot ? Tu es sûre, n'est-ce pas ?

– Non, ma gazelle. C'est une atteinte de la corne antérieure. »

Je bouffe les mots, je manque d'imagination pour lui raconter des mensonges, je temporise pour faire semblant, juste un instant. L'instinct de survie. On dira que c'est rien.

Comment dire à ma fille qu'elle va me perdre après que mon corps m'aura emmurée ?

En reprenant la route, me revient en mémoire la fascinante sculpture d'Alain Dony aux Lapidiales à Port d'Envaux. Je revois l'homme emprisonné dans la pierre qui tente de s'extraire. Seul le visage compressé, déformé et une main agrippée à la roche sont visibles. Le corps est absent, disparu dans la paroi de la carrière.

J'inverse le titre de l'œuvre, De l'azur à l'abîme, dont je ne reviendrai pas.

La SLA me sculpte dans cette roche jusqu'à ce que mort s'ensuive.

Je suis assommée de chagrin que Roxane assiste à cette horreur.

À la maison, en apnée, je vérifie machinalement les synonymes, une habitude de toujours. Je veux connaître précisément les choses, et le fol espoir du malentendu couve… « Atteinte de la corne antérieure », « maladie de Charcot ».

Le *Vidal* confirme. Le Rilutek prescrit est le traitement de la sclérose latérale amyotrophique, dite « SLA » ou maladie de Charcot.

Mon mari rentre à la maison. Je l'informe du verdict. Il se tait. M'étreint, accablé.

Il ne peut pas, ni lui ni personne, me réconforter, m'apaiser, me détromper, me laisser un autre espoir qu'une erreur de diagnostic.

Je parle peu, ne sais pas quoi dire.

Aucune consolation n'est possible pour moi, ni pour lui.

Nous savons tous maintenant. Et nous le savons tous : mon corps va me figer dans un shibari mortel.

La maladie prendra plus ou moins son temps, mais elle va m'enterrer vivante dans mon propre corps. Lentement, sadiquement, jusqu'à ce que je ne puisse plus ni bouger, ni parler, ni déglutir, ni respirer.

Une barbarie.

Je ne peux pas, au soir de l'annonce, partager quoi que ce soit. Avec personne.

Je n'en ai même pas envie ni besoin. Même avec mes amours.

Je ne veux que le silence. Je suis dans un ailleurs où il ne se passe rien.

Je sais que chacun négocie avec soi dans cet orage infernal, avec la déflagration ou la mèche lente de la dynamite.

Ni Rémy ni Roxane ni personne ne se répand. C'est ainsi, il n'y a pas d'effusion, d'écroulement visible, de cris ni de lamentations.

Notre âme se fissure en secret sous nos tendres sourires navrés.

On se protège mutuellement. Entre le dire et l'indicible. On ne verbalise pas encore.

Je reste assise longtemps, hébétée, puis sors dans le jardin.

Le jour baisse, je cherche dans le ciel le nuage sur lequel je pourrais me coucher.

Je pense à ceux à qui je vais ravager le cœur et ça m'est insupportable.

Le lendemain, je me lève après une nuit totalement blanche, et enfin viennent les sanglots et les larmes. Pour eux. Pour moi. Pour la monstruosité. Brièvement, comme on dégueule.

Quelques semaines plus tard, l'hôpital de La Rochelle pose le même diagnostic. Un mois après, c'est le CHU de Bordeaux.

Le dimanche suivant, avant de partir au marché, je dis à Rémy : « Tu sais… tu le sais… que je n'irai pas au bout. » « Oui, je sais. »

Il enfouit le nez dans mon cou pour cacher ses yeux.

3.
Les arabesques de sable

Le temps est idéal, lumineux et tiède.

Roxane ne veut pas que je marche trop long-temps dans les dunes, car je risque de tomber. Mais je refuse le chemin aménagé de la Bouverie et son triste parking à ras l'océan, qui n'ont plus rien de sauvage.

Je veux profiter de mes jambes qui me portent encore. Et emprunter notre sentier qui serpente à l'écart dans la forêt, celui de son enfance, qui porte les empreintes d'un si joli temps.

Il est tellement étroit que nous devons marcher l'une derrière l'autre.

« Attention ! Attention, ne tombe pas ! »

Elle reste derrière moi, vigilante, les ronces folles nous griffent les chevilles.

La magie opère. Je marche dans le temps. La même odeur de sable et d'aiguilles de pin chauffées par le soleil, de résine. Et toujours aucune trace de passage.

Oh oui, ce chemin est bien encore le nôtre.

Après avoir traversé la piste cyclable, il s'élargit vers les dunes.

Roxane revient à mes côtés, j'aime sa proximité tranquille, ses cheveux dorés qui balaient son visage, ses longues jambes dans son jean.

Nous demeurons silencieuses, absorbées dans notre bien-être partagé, écoutant simplement le bruit de l'océan se dissocier de celui du vent.

On pourrait se remémorer nos souvenirs. « Tu te souviens maman quand nous venions ici avec Géraldine ? » « Et lorsque tu as été si nulle aux raquettes… » « Et nos taboulés pleins de menthe et de sable ? » « Et quand ton père construisait des coupe-vent en bois flottés ? » « Et notre fou-rire à n'en plus finir quand un chien a levé la patte sur grand-mère endormie ? »

Mais nous préférons éviter la nostalgie, rester dans ce présent vivifiant.

« Tu vas bien ? me dit-elle en riant.

– Zut ! On ne peut plus faire la course jusqu'en haut de la dune pour être la première à découvrir l'océan. »

Elle grimace, puis reprend : « Non, mais regarde : je grimpe devant toi et te fais la courte échelle. Mets tes pas dans les miens. »

J'obtempère. Je pose mes pieds dans l'empreinte creusée des siens et finis l'ascension tirée par ses bras graciles.

Je souris :

« C'est un peu facile comme prétexte pour arriver prems' !

– Oui, j'aime bien profiter de tes faiblesses », m'avoue-t-elle en affichant un air cruel.

Soudain, nous nous taisons parce qu'on s'en prend plein les yeux. L'océan s'est retiré. À peine agité, il scintille.

L'estran ruisselle encore et sculpte d'étonnantes arabesques de sable.

La plage blonde déserte s'étire à perte de vue.

Je dévale la dune comme je peux, manque de m'affaler et Roxane me retire mes chaussures.

Je veux mon feuilleté de sensations, celle d'abord tiède du nylon sous mes pieds quand je les racle sur le sable sec. Puis, celle de la fraîcheur du mouillé, et enfin, celle de l'immersion glacée.

J'ai des crampes aux pieds, les jambes raides mais je suis aux anges.

Elle, ne se déchausse pas. Elle garde son air heureux et me prend en photo, mitraille l'horizon, les nuées, se joue des contre-jours.

Je ne sais pas à quoi elle pense en contemplant ainsi l'océan. Moi, je ne peux m'empêcher de songer qu'elle y reviendra avec mes cendres.

Ma sépulture sera de toute beauté.

Nous marchons encore un peu en direction du nord. Elle me demande : « Maman, tu n'as pas froid dans le vent ? »

C'est exactement ce que j'ai demandé à ma mère hier, dans le jardin.

Je suis la fille de ma mère et la mère de ma fille. Dans cette phrase idiote se planque toute la douleur du ventre.

Dans le vacarme d'un rouleau au large, j'entends : « Maman... » Ce cri ou ce murmure intérieur, si universel, exprime l'indicible, l'ultime détresse. La mienne, celle de ma fille et celle de ma mère.

Roxane photographie nos deux ombres projetées sur le sable, minces silhouettes à l'oblique. Je me force à oublier que je ne saurai rien de son avenir, de ses joies et de ses peines. Cela m'est insupportable.

Je voudrais tant pouvoir encore ouvrir mes bras inertes pour la serrer contre moi, la câliner, respirer sa nuque sous ses cheveux comme lorsqu'elle était petite, lui dire : « Tout ira bien, je ne serai jamais morte en toi, tu continueras même à me trouver pénible de ne pas vouloir rester tranquille dans mon océan. »

Nous pleurerions un peu de chagrin et puis très vite de rire parce nous sommes espiègles et qu'il vaut mieux en rire.

Et puis, d'un coup, tout disparaît. La douleur se calme. Je suis même heureuse.

Je ne peux pas la consoler, je ne peux plus. Mais nous serons toujours ensemble. Ici et au-delà.

Malgré l'absence et l'émancipation, le cordon ne se dénoue jamais complètement.

Je pense à ma mère, à ses yeux clairs et pudiques, inconsolables, qui disent son chemin de croix. Je regarde ma fille qui me cache son chambardement intérieur, et je ne sais plus de notre trio qui est la mère de la fille.

Sur le chemin du retour, je le dis à Roxane. Un sourire tendre éclaire son visage que je vois de profil.

4.
Indocile

C'est arrivé si vite. À peine levée, je déambule dans la maison atterrée, à moitié nue. Incapable de me vêtir, ni même de me couvrir un peu. Je suis mortifiée.

Hier encore, je pouvais m'occuper de moi toute seule. Me consacrer à mes rituels matinaux de femme. Un peu moins, bien sûr, chaque jour, c'est vrai, mais quand même.

Peut-être aussi faisais-je semblant de ne pas remarquer toutes les faiblesses de mon corps indocile. Ou bien, entêtée et dans le déni je déployais mes dernières forces.

Mais ce matin, Charcot est intraitable. Il me vole mon corps, lui interdit que l'on se parle, que l'on s'écoute.

Il se refuse à moi. Ne veut plus allumer la lumière. M'aider à mettre mon pull alors que j'ai froid. Ni relever la mèche de cheveux qui me tombe sur les yeux.

Dans la salle de bains aménagée pour lui faciliter les choses, impossible d'attraper le pommeau de douche pourtant posé à terre. Il ne cède sur rien, ni sur le mitigeur, le tube de dentifrice, ou la brosse à cheveux.

Mon corps va même jusqu'à résister à la douceur de mon lait hydratant. Il n'en veut pas.

Ses bras qui ne sont plus les miens restent sourds et lourds. Ses mains figées.

Ces symptômes de discorde s'ajoutent à tant d'autres que je ne compte plus.

Ce traître maigrit alors que je le nourris bien. Ses membres inertes pèsent une tonne et mettent mes épaules et mon dos au supplice.

Mon corps m'a abandonnée pour de bon. Il se désolidarise totalement, me devient même hostile.

Il me contredit, fait barrage à la moindre esquisse de gestes. Il ne ressent plus l'amour, se ferme à mes désirs.

50

Je ne suis qu'un pantin désarticulé, le buste jeté en avant et la tête au ras du sol.

Je m'arc-boute, me sers de ma bouche, de mes dents, de mes pieds et de mes genoux pour me doucher et, en l'insultant, je pleure ce désastre.

Je fuis l'intimité de la salle de bains et demande la mort dans l'âme de l'aide pour enfiler ma robe, et me coiffer.

J'ai besoin de solitude. Je me réfugie dans la chambre et affronte le miroir.

Je suis impeccable en représentation : la tête haute, le buste droit, les bras au repos et la belle robe donnent le change. À rester ainsi immobile, mon corps, ce fourbe, ne laisse rien transparaître. Il fait encore le beau, presque hautain.

Personne ne peut croire à son entreprise de destruction, à son intention de me faire disparaître.

C'en est trop, je ne supporte plus son reflet et sa bonne mine menteuse. Le face-à-face est insupportable.

D'un coup, je lui tourne le dos et claque la porte de mon pied encore valide. Le voilà devenu mon pire ennemi, alors que nous nous aimions tant, étions si complices.

C'est bien lui qui m'assassine. Ce corps cannibale qui divorce de moi.

Enfant, puis adolescente, j'aimais explorer ses contours changeants et ses replis. Il était étroitement lié avec mon esprit.

Quand j'avais mal à l'âme j'avais mal au corps. Je frissonnais lorsque j'avais peur. Je rougissais quand j'étais gênée ou ravie.

Quand j'aimais, mon cœur battait à tout va, mes jambes tressaillaient. Et quand il me demandait de l'endurance et de résister à l'effort, j'y consentais avec entrain.

Je suis allée au bout de mes forces pour lui. J'étais un tout, avec mon âme et mon corps. L'un n'étant pas plus sacré ou plus soumis à l'autre.

Mon intime et mon identité s'y nichent. Il n'y a pas une morale spécifique au corps. En lui naît ma vitalité.

J'aimais quand il s'émancipait dans l'amour. Aujourd'hui, il reste muet face au désir.

Je ne veux pas de ce triangle : lui et Charcot, contre moi. Mon corps est un vendu, un agent de la SLA.

C'est toute ma vie qui bascule.

Je vais bien mourir oui, puisque j'ai tiré la mauvaise pioche, mais pas en le regardant complaisamment œuvrer à cette mort.

Je ne veux plus de lui et accorde désormais à ce traître le minimum vital. Non pas parce qu'il est moins beau, ou différent et inutile, mais parce que nous ne sommes plus complices.

Je me fiche de sa beauté ou de sa mocheté. Pendant ces quelques mois qu'il me reste à vivre, je veux des muscles en mouvement. Je veux pouvoir marcher encore, jusqu'au bout du monde.

J'aimais tant plier mes bras, mes jambes. Ma gestuelle était aussi un langage, celui de mon cœur, celui de ma féminité, celui de mon inconscient.

J'aurais aimé savoir danser. Je ne suis pas une bonne danseuse. Je ne connais pas la discipline. J'aime laisser bouger mon corps sur une musique, qu'elle soit intérieure ou bien réelle. Une danse plutôt instinctive.

Mes yeux regardaient le monde et le corps l'éprouvait.

Rouler dans les vagues. Chauffer ma chair au soleil. Donner le sein à ma fille. M'endormir la fenêtre ouverte pour la sensation de la fraîcheur de la nuit sur ma peau. Renifler l'air chaud. L'odeur du verger et des pommes tombées. Celle de l'herbe coupée. Jusqu'à ce que mon corps soit saturé de ces senteurs. Vibrer pour une sonate de Bach ou le tableau de Caillebotte *Les Raboteurs de parquet.* À en avoir la chair de poule. Nager danser faire l'amour sans entrave, laver mon corps mes cheveux frotter ma peau. Me mettre à quatre pattes. Étirer mon dos pour méditer. Mon corps coopérait même pour me protéger de sa trivialité.

Et lorsque j'ai commencé à écrire et à publier j'ai parlé de ce corps oublié aujourd'hui. Je l'ai rendu libre. J'ai tant donné pour lui.

Il n'en subsiste que mon épiderme, reste d'un temps révolu, déconnecté de la chair.

5.
Le petit verre de vin

Ce samedi, le marché est joyeux.

Je suis contente d'être enfin un peu seule, de flâner à mon rythme.

Je me régale devant les étals colorés des primeurs. Je prends mon temps, discute avec un vieux commerçant du coin.

Un trio de musiciens joue *Les Yeux d'Elsa*. Aussitôt cette chanson me prend les tripes, je m'arrête pour les écouter.

Je me sens vivante et réintègre mon corps l'espace de ces quelques notes. J'ai envie de chanter, je me vois faire virevolter ma robe.

Presque un vertige.

Quand je reviens à moi, un parfum de Mara des bois flotte et me donne envie de ventrées de fraises.

Je dresse mentalement la liste de ce que je veux acheter pour que Rémy s'en occupe plus tard.

Un ami m'interpelle : « Comment ça va aujour-d'hui ? » Il sait que ne parlerai pas de ma maladie, il n'y a rien à en dire. Je lui réponds : « Je vais… »

La foule devient plus dense. Mes bras toujours figés le long de mes flancs me donnent chaud tout comme ma minerve.

Je m'efforce d'être patiente derrière ces gens qui restent plantés en plein milieu des allées.

J'aperçois de loin sur un banc d'énormes bouquets bleus. Je connais bien cette femme qui vend des fleurs, des œufs et quelques légumes de son jardin. J'aime son sourire. Elle a le même âge que moi, et me raconte parfois des bribes de sa vie.

Elle sait que j'ai un faible pour les bleuets. Ce matin, elle m'en choisit une énorme brassée et me dit qu'elle les donnera à Rémy lorsqu'il passera.

J'arrive sous l'espace couvert. J'arpente les allées des bouchers, fromagers, poissonniers.

Ça sent l'océan et la marée basse. Des odeurs de ventraille.

Je tourne la tête vers un étal. Des seiches, noires d'encre. C'est comme ça que je les aime.

La tristesse, d'un coup, me tombe dessus. Je me vois, un grand panier à la main, en prendre deux kilos et m'en mettre plein les doigts pour les préparer comme personne ne sait le faire, et les regarder mijoter avec l'idée de les congeler pour les enfants, les petits-enfants qui viendront cet hiver.

Mais je n'ai pas de panier. Et je ne verrai pas les enfants en décembre.

Je chasse ces pensées qui m'accablent pour me concentrer sur le fragile contentement des yeux.

À l'entrée de l'esplanade qui donne sur le fleuve, Rémy me rejoint. Comme une consolation il porte à la main le bouquet de bleuets.

On s'installe à une table du petit bar en plein air pour commander des huîtres qu'il me détache de la coquille.

Il est à peine 11 heures, mais quelle importance.

Ce sont les meilleures huîtres du monde.

Je regarde les bateaux amarrés au ponton, ceux qui naviguent sans hâte vers l'embouchure. Cette lenteur me va.

J'ai encore le temps de l'été. Je fume une cigarette coincée entre deux doigts crispés en crochets, ma tête coincée entre mes genoux.

Je n'ai pas envie de rentrer.

6.
Captive

Après la ceinture de sécurité que je ne parviens plus à boucler, aujourd'hui, c'est le volant de la voiture que je ne peux plus tourner ni même tenir correctement.

Mais je ne veux pas me résoudre à cet échec. Alors je m'efforce encore et encore, et parviens, comme un robot récalcitrant, à lever le bras pour l'agripper.

Épuisée et en nage, j'accélère et braque pour tourner à droite, mais la voiture se dirige tout droit vers le fossé.

Je deviens dangereuse. Je dois abdiquer.

J'arrête le moteur. Ma résistance se relâche tout à coup, je craque.

Je me tape la tête contre le volant et crie, et hurle. Je voudrais tout casser, donner des coups de pied dans la carrosserie.

Mais même ça, je ne peux pas.

Je veux encore sillonner les routes avant de mourir, aller et venir sans rendre de compte. Me voilà donc devenue totalement dépendante.

Mon désir irréalisable n'est qu'un pauvre fantasme sans espoir de femme à moitié morte.

Je m'étais imaginé cette étape comme un drame et c'est un drame absolu. Je suis à la merci des autres. Dès demain, obligée de les solliciter et de subir leur présence lorsque j'ai envie d'être seule.

Je ne peux plus l'être, je serai désormais toujours flanquée d'assistants.

Je me fiche bien, à cet instant précis, de leur bienveillance, de leur amour ou de leur sollicitude.

Avant de mourir, je ne veux pas qu'on me colle, qu'on me suive, je ne veux pas qu'on m'enferme. Qu'on me saucissonne sur un siège de voiture. Cette sensation de me faire ligoter me rend folle, proche de l'hystérie, que je dois dominer.

Je ne veux pas qu'on me transporte comme un colis.

Furibonde et désespérée, je sors de la voiture, mal garée dans le fossé, et, puisque j'ai encore mes jambes, je ne renonce pas. Je veux fuir loin de ce cauchemar.

Je marche jusqu'à Saintes, quarante minutes qui m'épuisent, mais j'y serais allée en rampant.

Marcher calme la violence qui me ravage. Je déambule dans les rues, et chaque enjambée disgracieuse ravive mon plaisir de bouger.
Je ressens encore le travail de mes muscles moribonds mêmes si mes pieds et mes mollets se tétanisent.

Mes pas chancelants me dirigent vers la passe-relle qui enjambe la Charente.
Mes bras pendent le long de mon corps, leur poids tire sur mes épaules, mon cou, et je dois les réunir sur le bas de mon ventre, une main posée sur l'autre pour les soutenir.

Je continue à longer les quais en suivant des yeux les avirons qui glissent silencieusement sur l'eau et s'éloignent.

Comme eux, je suis libre et me grise de ce mirage.

7.
Mourir à soi

Un vent de liberté me donne des ailes. Il suffit d'y croire.

Je pars enfin seule.

Le minibus taxi arrive devant chez moi à 9 h 10, comme prévu. Le chauffeur prend la carte dans mon sac et la composte. Je m'assois contre la vitre en ignorant la ceinture.

Je largue les amarres. Le monde est à moi, je vais en faire le tour.

Je soupire d'aise, et me trouve pathétique.

La suspension du bus ressemble à celle d'un 4 × 4 sur une piste qui explore l'autre bout de la terre.

Dans le sac passé autour de mon cou, mon paquetage se balance : le chèque vierge, ma carte bancaire, une facture à régler, une enveloppe, un stylo.

J'appuie mon front contre la fenêtre et regarde le paysage, la voie ferrée, la haie de grands bambous, le dépôt SNCF, les enseignes des magasins encore fermés.

Je n'ai plus d'entrave, plus d'assistance, je ne suis plus vulnérable, comme ils disent.

Je traverse la ville, une éternité délectable pour une prisonnière en cavale.

Une ivresse me serre la gorge, que je trouve aussitôt grotesque.

Le bus enjambe le fleuve et le grand voyage s'achève.

Terminus devant le palais de justice. Six minutes de trajet. L'échappée belle a goût de mensonge.

Je traverse et pousse de la tête et de l'épaule la lourde porte du Café du Théâtre qui m'écrase à moitié lorsque je me faufile dans l'étroite ouverture. Le patron me salue et me sourit.

Je commande un café, « avec une paille, s'il vous plaît », et m'installe sur la banquette à une petite table planquée tout au fond.

En me courbant, je tente avec mes mains repliées et mes dents d'extirper du sac qui pendouille entre mes jambes tout mon nécessaire pour remplir le chèque, écrire l'adresse sur l'enveloppe.

Je ferraille avec l'impossible mais je veux vivre au moins cette dernière maîtrise de mon existence en toute conscience.

Le stylo enfin fourré dans la gaine de mes doigts repliés, je m'applique à tracer des signes cabalistiques qui réussissent à ressembler à peu près à 125 euros, et en lettres bâtons déstructurées j'inscris l'ordre et l'adresse.

L'ensemble est presque lisible mais ma main épuisée échoue à reproduire ma signature. Je ne peux plus attester mon identité.

Je pense à la croix de l'illettré, à l'empreinte encrée du pouce du taulard ou à celle de mes lèvres colorées de rose. J'opte pour un gribouillis enfantin.

Je considère mon œuvre d'art anonyme. La mise à mort a commencé.

J'aspire mon café les yeux perdus dans ma nuit étoilée et j'attends que la porte du café s'ouvre pour pouvoir me sauver.

À la poste, je quémande d'une voix à peine audible que l'on glisse mon paiement dans l'enveloppe timbrée, puis je me dirige vers ma banque.

Je ne parviens pas à introduire ma carte bancaire et demande à voir un conseiller. « Je ne peux plus signer ni retirer de l'argent au distributeur. Je ne veux pas de procuration, de contrôle, de droit de regard sur mes dépenses. »

L'homme me regarde longuement, l'air désolé : « Il faudrait vous faire mettre sous curatelle. » Je le tue du regard et lui tourne le dos sans répondre.

Dans un état second, je reprends mon minibus taxi qui m'attend.

Sa suspension est celle des fourgons cellulaires, ses fenêtres sont quadrillées de traces poussiéreuses.

Je regarde le paysage le front collé à la vitre, les vitrines éclairées, le dépôt SNCF, les bambous, le nœud des aiguillages sur les voies ferrées. J'ai envie de vomir.

« Ça s'est bien passé ? Qu'as-tu fait ? » me demande Rémy.

« Mon dernier chèque. Je suis dépossédée de moi. C'est très bouddhiste : mourir à soi et ne rien posséder. » Je lui souris bravement, puis : « Sers-moi un verre de vin, s'il te plaît. »

8.
La fin des temps

Je ne porte plus que des robes. Je les choisis colorées et fluides pour déguiser mon mal.

En ce début de dernier printemps, elle est estivale, courte, blanche avec de larges rayures verticales bleu marine.

Je ressemble à une étroite cabine de plage posée sur le sable.

Le téléphone fixe sonne. Je soupire car il faut que je déploie un stratagème épuisant pour décrocher. J'espère que le correspondant est patient.

J'essaie tant bien que mal de me saisir du combiné installé désormais par terre pour me faciliter l'entreprise.

Je mets le haut-parleur, atteindre mon oreille est peine perdue.

Ce sont les enfants, nous discutons de leurs ados, de leurs études, du temps qu'il fait. Enfin, ils me disent : « Nous viendrons cet été du 5 au 13 août. » « Oui, bien sûr ! Chouette ! » je réponds instinctivement.

Nous raccrochons.

Avant, j'aurais sauté de joie des semaines à l'avance. Pourtant là, je retiens juste qu'ils sont à Paris.

Je note quand même mécaniquement la date, mais je ne ressens rien. Est-ce dans un mois ? Une semaine ? Combien de jours ? Est-ce que leur été est le mien ?

Tout ce qui est après maintenant, même demain, semble ne pas exister.

Je ne parviens pas à envisager ce futur, à me sentir concernée. Je peine à imaginer qu'ils seront réellement là cet été, ils me parlent d'un temps que je ne connais pas.

Je ne suis vivante qu'aujourd'hui, incapable d'anticiper. Avec un sentiment désagréable qui s'empare de moi : je culpabilise de ne plus être en phase avec leur projet.

Il n'y a plus d'heure. Plus de jours, ni même de mois. Je ne tourne plus les pages de mon calendrier.

Je me lève et me couche et... me relève et me recouche... Dans un temps immobile.

À l'instant précis où le diagnostic de ma maladie a été posé, l'horloge s'est bloquée. La SLA a arrêté le temps, dilué son écoulement. Ce pourrait être beau, comme un temps suspendu, mais non.

Je m'éloigne des autres : tandis que je plane, les gens autour de moi planifient.

Parfois, mes yeux se posent sur les photos des petits-enfants. Sur ces images, ils sont encore petits. Aujourd'hui, ce sont quatre adolescents de 15 à 19 ans.

Pour moi, ils auront toujours cet âge. Et pourtant, c'est l'inverse : ils deviendront adultes tandis que j'aurai à jamais 59 ans.

Comme au théâtre, je suis dans l'unité de temps. Je ne comprends pas que l'on me demande ce que je vais faire dans un mois ou deux. Ni même après-demain.

J'ai beau me coucher et me lever, les jours ne se renouvellent pas.

Il n'y a qu'un lendemain : la mort.

Je ne vieillis plus, cela pourrait m'enchanter. Mais c'est une condamnation. Je n'existe plus. À peine un fantôme.

Même ma langue a changé : je n'emploie plus le futur qui ne sera pas. Ni l'imparfait qui me griffe le cœur et qui n'est plus. Je conjugue l'éternel présent à la fois immense et rabougri.

Je suis dans l'œil du temps, comme dans celui du cyclone, épargnée par sa course.

Après ce coup de fil, je reste là, impotente. Je reprends ma journée comme elle est, comme toutes les autres désormais.

Je déambule de pièce en pièce, m'assois, me relève. J'erre.

Lorsque j'étais enfant, ma grand-mère me disait que l'oisiveté est la mère de tous les vices. À l'hôpital une psychologue m'a expliqué que le désœuvrement a bien des vertus.

Il faudrait savoir.

Je regarde le bouquet de fleurs fanées, celui devant lequel je me suis installée deux heures plus tôt sans m'en rendre compte.

Je voudrais le toucher, ramasser ses feuilles, mais je ne peux plus. Il faudrait pour cela pouvoir tendre les bras.

Quoi faire d'autre qu'observer ? Je sais la moindre veinure du pot en terre, la moindre flétrissure des pétales.

Je connais aussi l'ordre de tous ces livres posés que je ne peux plus ouvrir. Moi-même, je fais partie du décor, toujours assise de la même manière : parfaitement immobile, les chevilles juste croisées, mes bras reposant sur les genoux, mes deux mains recroquevillées posées l'une sur l'autre.

Je contemple chaque objet jusqu'à le vider de son nom.

Le décor de ma vie m'hypnotise peu à peu. Jusqu'à, inévitablement, me noyer dans mes pensées qui se courent après sans jamais s'arrêter.

Alors, à force d'intellectualiser si loin de mon corps, je finis de me décharner. Et dans ma tête, à presque mots, j'esquisse un canevas de déconstruction de l'ouvrage, une ébauche de la cessation d'être.

Un oiseau dans sa cage forcé de penser à sa mort.

Le soleil se couche. Je ne sais plus l'heure qu'il est. Quand les enfants ont-ils téléphoné ?

Il faut que ces pensées cessent. Je me relève et appuie avec mon poing sur le bouton du lecteur de CD.

Mon incapacité à changer de disque a un avantage : je peux passer en boucle *The Truth of the Matter* d'Audra Blackner.

9.
Solstice d'été

Les ombres raccourcissent. Le soleil est au zénith. C'est le solstice d'été.

Pour moi, un jour de fête, d'amour et de musique.

J'ai eu cette envie. Très fort. Il fallait que je vienne au Havre, revoir ma sœur Sophie et les bateaux qui partent.

Nous sommes là pour cinq jours avec six amis, 600 km, deux voitures et des bagages de tendresse et de rigolade. Nous avons loué une grande maison, la bien nommée « maison du Passage ».

Les goélands planent et gueulent comme des chiens.

Nous voilà sur la terrasse colorée du *Monte Cristo*, le café expo de ma sœur, sur le quai Southampton face au sud. Je caresse ma Sophie de mes yeux, pas de mes mains.

En face du café, le catène de containers multicolores entrelace la ville à son port. Et Le Havre semble se détacher et dériver là où la mer et le ciel se rejoignent. À moins que ce soit le ferryboat qui s'ébranle.

Je ne sais si c'est la ville ou les bateaux qui sont en mouvement. Une impression grisante, surréaliste. J'ai envie de danser. *Anne wants to dance.*

Ce 21 juin, Le Havre fête ses 500 ans, moi mon soixantième et dernier été, et je ne ressens aucune mélancolie. Juste un haut-le-cœur, aussi grand que le pont de Normandie.

Dans cette ville où tout est suspendu jusqu'à ses jardins, mon cœur a des envies de java.

Sophie nous sert à boire. Le vent emmêle les cheveux des filles. Un sentiment de plénitude, d'achèvement.

Je me vois vêtue d'une robe de soie multicolore, danser nu-pieds sur les galets blancs et courir jusqu'au bout du monde. Je zigzague dans l'eau entre les kite-surfers. Je me prends les pieds dans la Manche et j'entends rire mes amis. Je danse avec le solstice et les voiles sucre d'orge gonflées par une jolie brise, le regard porté vers l'horizon, vers ce ciel fabuleux que les nuages viennent habiter.

Et dans ma tête cette chanson qui ne me quitte pas. *Anne wants to dance.*

Cette dernière fois ne ressemble pas aux autres. Cela tient-il au solstice ? À l'atmosphère normande ? Au rapprochement des côtes belges ? Ou à ce *road trip* qui fait voyager notre amitié ?

Même si, comme toujours, je ne peux plus rien faire, je fais semblant, me fonds dans cette ville singulière avec ma famille et mes amis, tous un peu déjantés, parlant un langage codifié et absurde, et de drôles de façons qui me plaisent tant.

Nous quadrillons la ville, de l'église Saint-Joseph à la cloche des dockers, des jardins suspendus au Bout du monde.

Sur une terrasse d'Étretat, sous l'œil intrigué des goélands, je réclame du chauffage et des plaids tellement le vent est froid.

À Honfleur, dans un petit patio fleuri à l'abri de la fureur touristique, une courageuse teste la gaufre au camembert, j'en suis effarée.

En rase campagne, sur le bord de la route, on s'émerveille d'un distributeur automatique de pommes de terre locales et nous achetons 6 kilos de rattes.

Même à l'heure de mes dernières fois, ce distributeur de patates est une première.

Les amis mitraillent nos pitreries. De valeureux petits soldats qui ne sortiront pas indemnes de cette marche à mes côtés vers la Belgique. Leur constance m'impressionne. La cacophonie du monde ne me parvient plus, balayée par le bruissement de leur tendresse.

Je suis une funambule ; ils sont la perche qui me maintient à l'équilibre sur le fil ténu reliant ma vie à ma mort. Ils m'enveloppent de leur chaleur et m'aident à ne pas basculer dans le précipice de la désespérance face à l'inguérissable.

L'amour me porte, même s'il complique tout. Mes amis et mes amours m'inventent de joyeuses attentions palliatives. Je végète étroitement attachée

à eux, dans la lumière. Ils sont ma force et ma fai-
blesse. Mes guides et ma plaie.

J'apprends le détachement. Je dois découdre les
petits points si serrés, relâcher l'ouvrage de l'amour.
Consentir à la distance, alléger le fardeau pour
rendre la séparation définitive moins cruelle.

Je veux les voir courir vers la vie, sans moi, les
regarder partir.

Bien sûr aujourd'hui, au Havre, de temps à
autre, mon esprit se fait la belle. Il décroche
quelques minutes de ces petits bonheurs, implore
les goélands qu'ils m'emmènent d'un coup d'aile.

Je recule, dézoome, m'extrais du tableau vivant,
mais mes amis sont tellement drôles que leur rire
m'agrippe et me retient.

Roxane me fait la joie de nous rejoindre, les
dîners nous réunissent. Sept filles et quatre gar-
çons qui font preuve de patience pour supporter
nos égarements féminins.

Ils doivent se résigner à veiller à ne pas nous
laisser nous déshydrater, et nous rions tant de
retour de nos virées le soir.

Mais peut-on ne pas rire à quelques temps de mourir ?

Le dernier matin, je me réveille très tôt. Je pleure sans savoir pourquoi.

Une épouvantable tristesse m'alourdit, jamais ressentie à ce point, un point d'orgue.

Je m'assois sur un tabouret dans la cuisine déserte, incapable de parler ni de bouger. La magie est retombée, le carrosse redevenu citrouille.

Je pense à ma famille et à mes amis, à notre belle façon de se dire au revoir, à leurs yeux mouillés furtivement sous leurs sourires, au retour à la réalité, à leur courage, à leur amour.

Au Havre, ils m'ont fait danser. *Anne wants to dance*, une dernière fois.

10.
Choisir sans renoncer

Dans mon temps suspendu, ce soir, le vent est au sud. Il pleut doucement, une pluie d'orage comme je les aime, drue.

De la fenêtre ouverte de mon bureau, j'entends l'annonce des départs des trains en gare de Saintes.

Avant d'être malade, cela me donnait le sourire. Aujourd'hui, c'est un supplice.

Je suis bien à la gare moi aussi, mais coincée, sans billet, à errer entre les voyageurs. Il n'y a pas de place pour moi, il n'y en a plus. Pas non plus de sortie de secours. Forcée à contempler ces vivants si affairés.

La SLA m'a tout pris.

Mon espérance de vie, mes projets, mon imaginaire, mes envies, mon intégrité physique, mon autonomie, mes rêves et mes nuits.

Elle m'abandonne désormais à la terreur d'être momifiée vivante et à la certitude d'en mourir très vite, sans savoir exactement quand.

Ma mise à mort est programmée, mais par elle seule.

Dame Simone fait réentendre sa voix lénifiante, le train va partir.

Je me figure essayer de courir sur le quai à perdre haleine. Mais il n'est plus là et ma valise valdingue sur la voie, éventrée.

Je regarde autour de moi, il n'y pas de main tendue. Personne pour m'aider à partir.

Mon cœur, mon esprit se consument encore un peu plus dans une douleur infinie. Aucune échelle n'existe pour en mesurer la magnitude. Seul subsiste un îlot de résistance pour abriter ma lucidité.

Je vois, oui, et me vois expropriée de ma vie, en pénurie de désir, de ma vie de femme. Mon corps martyrisé. Une souffrance et une désespérance au rebord de la folie.

J'entends maintenant le train passer non loin de la maison. Je suis encore restée là, paralysée. Définitivement.

Le désespoir et la peur d'être abandonnée à ma pétrification m'envahissent.

Cela va si vite. Je ne veux pas de ça, ni des aides à sous-vivre, être branchée ici ou là, ni même être nourrie à la cuillère ou assistée pour respirer.

Je ne veux pas subir l'approche de ce désastre définitif. Parce que le supplice mental de l'épuisement physique et de l'emmurement s'aggrave, je veux pouvoir déposer les armes sans attendre le jour de trop. Mourir n'est pas mon projet de vie. Je ne veux pas mourir. C'est la SLA, mon adversaire, qui me donne la mort.

Je refuse de pactiser avec l'ennemie, collaborer, la regarder construire ma geôle de pierres, lui passer la truelle. Je refuse l'agonie qui ne parle que de lutte vaine et d'angoisses.

Je ne me décharge pas de la responsabilité de ma fin, elle fait partie de ma vie. Je ne la livre pas contre mon gré au corps médical impuissant.

Il me reste une ultime liberté : celle de choisir la façon dont je vais mourir.

Dehors, la pluie frappe à présent fort le sol, un rideau blanc masque la vue, au loin, du clocher de l'abbaye aux Dames.

La voix de dame Simone s'est tue.

Sur le quai, l'attente me dévaste. J'implore désormais une aide. Que mon train passe, puisqu'il devra bien passer. Mais laissez-moi décider quand.

Je veux mourir en paix, avant d'être torturée. Je vais prendre les chemins de traverse, passer la frontière pour fuir l'interdit. Choisir ma mort sans renoncer à mon goût de vivre.

Oui, il y a le droit, les lois françaises et la liberté du citoyen que l'on me dit s'arrêter à son statut de malade. Mais je récuse cette restriction.

Par principe cela n'est pas justifiable. Face à cette souffrance innommable et à ma lucidité démentielle non plus.

Le soleil se couche maintenant. Je sais que je n'ai plus le choix que de chercher la main tendue qui me dira, doucement, simplement : « Viens, ne t'inquiète plus. » Et ce n'est pas celle d'un Dieu auquel je ne crois pas.

Et lorsque je l'aurai trouvée, lorsque je serai en présence de justes, de médecins qui m'accorderont enfin sans jugement leur hospitalité et répondront à mon choix de squeezer l'inacceptable, mon intranquilité cessera.

11.
L'étang

Dans le bas du terrain : un bel étang et une source, la cressonnière, le bois, le marais. Le lieu est magique, sans aucun vis-à-vis, aucune voiture.

Tout m'incite à lâcher prise.

Domi, Chantou et Claude font une partie de ping-pong sous le préau.

Ils m'ont installée sur un transat mi-ombre mi-soleil, et me disent en m'envoyant des baisers : « Tu as l'air d'une star alanguie derrière tes lunettes noires. »

Je me persuade que je suis trop paresseuse ou trop fatiguée ou trop nulle pour jouer et regarde leur chorégraphie et leurs incessantes plongées vers le sol pour ramasser les balles.

J'écoute leurs commentaires, leur drôlerie, ils me font rire.

Le bruit sec de la balle qui rebondit et qui ricoche scande leurs échanges, comme un métronome qui rythme aussi les battements de mon cœur. Dans le petit bois derrière mon dos, deux pigeons se font des mamours dans de grands froufrous d'ailes.

Les pongistes jouent l'apéro, mais on se fiche complètement de qui va perdre puisque nous le boirons – moi, avec ma jolie paille en verre.

Je les encourage, me fiche d'eux quand ils s'affalent sur la table ou ratent une volée.

Je me fonds dans cet écrin de verdure et de paix, vraiment joyeuse d'être avec eux et de partager leurs jeux, leurs rires.

Mais j'ai des impatiences, furieusement envie de me lever pour empoigner une raquette. Je lorgne sur mes jambes bronzées et sur les baguettes que sont devenus mes bras.

Je n'arrive toujours pas à croire que j'en suis incapable. Incapable de prendre part à n'importe quelle activité, aussi minime soit-elle.

Préparer le repas, jouer aux dés, faire du café, tailler les noisetiers, prendre des photos, moi qui aimais tant capter la lumière filtrée et les libellules sur la surface de l'étang. Quand d'autres dressent la liste de leurs envies, je refuse de dresser celle, interminable, de mes renoncements.

Qu'il n'est pas doux de ne rien faire quand tout s'agite autour de moi.

Parfois, quand l'arc de ma maîtrise se détend un peu, une bouffée de jalousie phénoménale me dévaste subitement. J'envie méchamment tous ceux qui bougent, tous ceux qui vont vers l'avant.

Le gigantesque manège de la vie m'agresse. Une presque haine.

Après l'épreuve du déjeuner, je m'étends sur le lit et cherche le repos, celui du corps et de l'esprit.

L'épuisement de porter quelque chose à ma bouche est tel que je tombe dans une espèce d'absence proche du sommeil et de l'oubli, un endormissement bizarre à la fois léger et profond duquel je ne parviens plus à m'extirper malgré mes tentatives.

Mon corps maigre devient si lourd, mes jambes raides pèsent une tonne et me font mal.

Je m'endors d'un coup sans perdre tout à fait conscience, et au contraire de mes nuits stériles et blanches, je divague.

Je pénètre un tableau surréaliste, le paysage est de guingois, les gens déstructurés. Je m'entends leur parler dans une langue que je ne connais pas, je prononce une succession de mots qui résonnent en moi longtemps après.

Je les entends encore distinctement quand je parviens à me réveiller, des syllabes accolées en dépit du bon sens, cabalistiques.

D'autres fois, je déambule dans une galerie d'hommes et femmes fossilisés et, toujours dans ce langage inexistant, je les invective.

Je me vois encore dans cette momie embaumée vivante, exposée sur un autel entourée de personnes aux visages sévères et je lutte pour repasser de l'autre côté du tableau, pour sortir de ce demi-sommeil de plomb. Mais j'échoue, bien souvent, comme si des bras de fer m'en empêchaient.

Quand j'y parviens enfin, à force de volonté éperdue, le réveil indique que cet égarement a duré deux heures.

Des siestes estivales sans volupté au goût désagréable.

Mes amis vaquent à leurs occupations. Je sors les pieds nus sur la terrasse brûlante et me perds dans la contemplation de la danse de papillons en songeant à l'étrangeté de la confusion des langues, à l'impossible communication verbale lorsque les mots ne peuvent plus évoquer ce qui est hors du vivant, hors de la connaissance, ni désigner la chose.

Et je comprends tout à coup pourquoi je fais du silence mon compagnon de dernier voyage.

Il y a finalement si peu à dire de ce qui n'est pas concevable.

Je descends jusqu'à l'étang et cherche dans la fêlure de mon reflet le courage pour me guérir de ma terrible addiction à la vie.

J'entends au loin les rires des amis et leurs vélos s'éloigner. J'ai mal au ventre.

J'apprends le détachement.

Ma force de vie décline, mais je peux encore tourner le dos au malheur. Pour moins souffrir, je muselle la curieuse éprise de liberté qui est en moi, la toujours contente qui aime courir loin des sentiers battus pour chercher ailleurs le mouvement, la petite fille effrontée en perpétuel devenir.

Je reste sourde à ses appels désespérés. Je la chasse par nécessité et instinct de protection comme on se protège le visage avec les mains pour éviter la violence des coups.

Je passe sous la voûte des arbres. La source fait un joli bruit cristallin. Je renonce à tenter d'y tremper mon pied – si je tombe, je ne pourrai pas me relever –, mais je sens sa fraîcheur. Je voudrais qu'elle refroidisse la lave qui coule lentement et fige progressivement mon corps sur son passage.

« Que veux-tu faire ma belle quand on rentrera de notre balade à vélo ? », m'ont demandé mes amis.

Je ne peux plus vouloir.

Je suis désormais zen, au-delà de la métaphore. Je quitte les rôles, les personnages, les attentes, les mécanismes, les peurs, les rêves, je meurs à moi pour ne revivre aucun instant et franchir la porte.

12.
Les passeurs

Mon errance se termine enfin. J'ai remué le ciel et la terre, les cœurs et les esprits qui ne connaissent pas les frontières et, même si c'est difficile, c'est libératoire.

Le grand calme se fait en moi. Je suis tranquilisée et mon cerveau ne turbine plus dans le vide.

Le contentement s'accommode de mon funèbre sort. Je vais pouvoir poser ma valise. Ma ténacité m'épargne le basculement dans la folie.

Cet après-midi, au bord de la mer du Nord, le vent est très frais.

J'ai les jambes nues sous ma robe et mon ciré bleu clair, pourtant je n'ai pas froid.

Je suis enfin sereine, sur la ligne de crête du partage des eaux.

Je viens de rencontrer mes passeurs. Ces hommes font désormais partie de ma vie : ils vont m'aider à la quitter.

Je les ai sentis rigoureux, exigeants, prudents. Et engagés à me tendre doucement la main. Des passeurs.

Une autre médecine qui, quand elle ne peut plus soigner le corps, se décide à soigner l'âme.

Il a donc fallu m'exiler, partir en Belgique où j'ai vécu enfant, pour pouvoir être accompagnée avant de mourir dans la douceur d'une main tendue.

Tant de kilomètres, loin de mes soignants, loin de Saintes, du Sud-Ouest, des miens, pour être autorisée à décider quand sera venu le jour de trop.

Cette maladie de Charcot, en France, j'aurais eu l'obligation de la subir jusqu'au bout.

Des mots, des textes de lois posés sur des patients qui n'ont plus leur mot à dire dès que le médecin les jugent excessifs. Des voiles jetés sur la réalité des horreurs de fin de vie.

Mais un malade incurable n'a aucun devoir. Je ne nuis à personne en assumant mon choix, je ne fais aucun tort à ceux qui acceptent de vivre l'enfer.

Au bord de la mer, sur mon dernier terrain de vagues et de dunes, le ciel est grognon, pourtant je me sens vivante.

C'est un souffle de vie qui caresse mes jambes.

Je ne suis plus seule.

J'attends toujours sur le banc de la gare, mais je sais que, lorsque je l'appellerai, mon train viendra. Mes passeurs me tendront la main.

Mon esprit englué se libère, je peux penser à nouveau.

Et je prends le temps de dire au revoir à ceux que j'aime.

13.
L'exercice de la disparition

Aidée par une amie, je range et fais du tri, comme si je partais en voyage et ne voulais pas laisser de désordre pour mon retour. Je vide mon bureau. Mon ordinateur. Je jette, nettoie.

Il restera quelques vêtements, bijoux, petits gri-gri, des tableaux et puis tant de livres à partager.

Ce grand ménage me soulage. Je n'imagine plus mes proches obligés, le cœur serré, d'entrer par effraction dans mon intimité pour vider cette pièce de mes affaires.

Je me livre là aussi, sans doute, à un rituel pour préparer ce voyage sans valise.

Alors que mon amie s'active à mettre tout ça dans des cartons qu'elle jettera, en me disant

117

mi-figue mi-raisin que, quand même, ça lui fait bizarre, tous ces rangements, je m'occupe à déplier mes doigts amaigris qui se crispent et me font mal.

Ma paume libérée de ces griffes est écarlate et creusée de stries. En soufflant dessus pour la rafraîchir, me revient en mémoire cette anecdote que je raconte à Domi.

Je dois avoir 12 ou 13 ans. Nous déjeunons en famille à Arcachon, où un vieil oncle s'amuse à lire les lignes de la main de la tablée.

Je lui tends la mienne. Il me prédit d'abord en riant trois maris et des jumelles. Mais, à mesure qu'il scrute le creux de ma main, son sourire et son bagou disparaissent.

Ma ligne de vie s'arrête brutalement à mi-chemin. Il ne veut pas poursuivre.

« Penses-tu que c'était déjà une étape, Domi ?

– Ah… parce que tu crois aux prémonitions, toi, maintenant ? »

Je n'en sais rien mais j'ai en tout cas grandi avec cette drôle d'histoire en veille dans ma tête.

Sans y croire vraiment, elle nourrissait mon imaginaire et je m'en amusais. Peut-être m'a-t-elle aussi familiarisée peu à peu avec la finitude.

Domi soupire, elle, pourtant si détendue depuis le début de la journée, commence à flancher. Elle me regarde, son sourire est presque triste, et me demande : « Comment on peut, si calmement, se préparer à mourir ? »

Est-ce parce que je n'ai pas le choix ? Ou parce que ce vieil oncle, innocemment, m'y a initiée par sa prédiction ?

Quoi qu'il en soit, cette mort je ne la crains pas. Je regarde devant moi. Je suis et ne serai bientôt plus.

Je vais devenir morte.

Je m'exerce à me penser hors de la vie, je me fais ma fiction de vivante. Je me vois donc morte, simplement, de façon factuelle, sans tragédie.

Allongée, les yeux fermés, absente, dépouillée de la vie. Mon corps abandonné aux vivants. Dénudé, lavé.

Devenue morte, je n'ai plus aucune intimité. Aucune pudeur. Je ne suis plus « je ».

Sur le lit repose une dépouille – mot funèbre si indécent. Mais on couvrira quand même la nudité de ce corps.

On enfilera une robe à la poupée de porcelaine que je serai devenue. Une dernière coquetterie, comme un baume sur les yeux de ceux qui seront à mes côtés et me regarderont sans vie – est-ce que je ferai une belle morte ?

Mon amie s'ébroue. « C'est l'inconnu qui devrait t'effrayer », me dit-elle. Mais jamais l'inconnu ne m'a fait peur, bien au contraire. Depuis mon enfance nomade j'ai déménagé dix-sept fois, changé de ville, de pays, me suis confrontée à l'impermanence des choses et à la différence.

Je ne veux justement pas que la peur gagne, je dois nourrir mon courage et ma force pour faire volte-face.

Pas plus qu'elle je ne sais ce que c'est que de mourir, le mourir. Le médecin non plus ne le sait pas, il n'en connaît que l'effet mécanique sur le cœur et la respiration.

Le reste, la robe de ma dépouille, la rédemption par la souffrance, le chant du cygne promis par l'église, le voyage, la peur, ce que dit le dernier râle, le passage... tout ça n'est que fiction.

Existe-t-il ce fameux passage ? Cet instant pre cis où l'on devient mort ?

Personne ne revient en rendre compte.

Penser le mourir, c'est oser se défaire de ces images. Ne retenir de ce verbe mourir que le mécanisme, celui de l'interrupteur qui éteint la lumière.

Le rouge-gorge qui chantait tout à l'heure dans l'arbre a été tué par le chat. Il gît sur l'herbe, mort. Le vieillard s'est éteint dans le mouroir. L'enfant de Syrie a été abattu. La petite fille chantait avec son idole à Manchester puis elle est morte dans l'explosion terroriste.

Tous sont pareillement morts. Ils ont cessé de vivre, leur cœur de battre. Il n'y a que les circons tances, naturelles ou horribles, et les émotions qui diffèrent.

Mon amie est partie. Mon bureau vidé du trop de moi. Je continue de construire la fiction de ma mort.

Je suis la vivante qui crée son personnage de morte, pour ne pas laisser à ceux qui restent le soin, toujours trop lourd, de le faire. Mais aussi parce que, *post mortem*, je veux encore décider de l'épilogue.

Mon exil en Belgique pour mourir m'oblige, pour de sombres raisons administratives et de délai, à y être incinérée – tristesse infinie.

De retour en Charente-Maritime, afin que ma disparition physique soit actée pour ceux qui ne m'ont pas accompagnée en Belgique, je veux un peu de beauté et de joie, puisque cette émotion s'accommode du chagrin.

Une jolie salle voûtée de la Cité musicale de l'abbaye aux Dames à Saintes pour réunir tout le monde, sans rien de funèbre. On ne parlera pas bas. On ne murmurera pas. On ne sera pas vêtu tout de noir. On ne me fera pas non plus des têtes d'enterrement. On ne passera pas de la musique belle à en pleurer.

Dans cette blancheur de pierre saintongeaise, on trinquera en buvant du bon vin, apaisés d'être ensemble.

Et puisque les vivants parlent aux morts, lorsque mes proches, ces fieffés et gentils menteurs, auront dit à l'assemblée rien que du bien de moi – parce que c'est ce que l'on fait toujours –, je leur parlerai à mon tour sur une note vocale et eux, au moins, m'entendront.

Je ne peux pas leur laisser le dernier mot, ils le savent bien, mais ce sale défaut célébrera la vie avant la dispersion de mes cendres dans l'océan sur la côte sauvage. Ce monstre de vie en harmonie avec le cosmos, le soleil et la lune qui n'a cessé d'être mon refuge et mon conseil.

14.
La nuit étoilée

La nature a horreur du vide. Je me vide de la vie, et me remplis de silence. Il est venu lorsque la notion de temps s'est évanouie, ce maudit jour. Il a envahi ma tête et mon corps et tout mon périmètre.

Les bruits du monde ne me parviennent plus, ou alors étouffés comme au fond de l'eau.

Dans ce vide sonore, s'incruste l'image récurrente de la nuit étoilée, celle que mon esprit avait peinte sur l'asphalte de la route du retour de La Rochelle après mon diagnostic.

Une nuit parsemée de milliards de corps célestes qui scintillent, comme pendant ces nuits estivales ou hivernales.

Je les scrute, encore et encore, à m'en défoncer les yeux.

Inéluctablement, les étoiles s'éteignent une à une. De jour en jour, j'en vois de moins en moins.

Pourtant, je continue de les chercher, même le soir lorsque je regarde réellement le ciel.

« Mais tu sais qu'une étoile qui brille proche du soleil peut être déjà morte depuis longtemps », me dit Rémy. Cette histoire de vitesse de la lumière me fascine mais je n'ai pas l'esprit scientifique.

Je n'aime pas que l'on me décortique la féerie de la galaxie, ni l'idée que l'homme a piétiné la lune. Je suis dans mon trip étoilé baigné de silence.

Le ciel se troue de noir, ce silence est étrange.

C'est un silence viral, il semble enfin finir mais se propage un peu plus loin. Plein d'échos, il résonne.

C'est peut-être le renoncement, le nécessaire détachement ou une anticipation.

Oui, c'est peut-être ça, l'anticipation du néant.

Dans cet espace muet, je n'éprouve pas de douleur. Ce n'est pas douloureux. Juste un peu vertigineux.

Je fais ami-ami avec le silence, peu à peu je m'y trouve bien parce que mon expérience n'est pas partageable.

Plus le temps passe et plus j'en ai envie. Je le trouve même douillet, confortable.

15.
Le goût des dernières fois

Quand les lilas ont fleuri pour la dernière fois, j'aurais voulu que ce soit diablement intense. Pourtant, rien n'a été différent.

C'était un jour comme un autre. Mes jambes ne sont pas devenues coton. Des vagues ne m'ont pas chamboulé le ventre.

Rien à voir avec les premières, les dernières fois ne renversent rien, elles ne procurent qu'un sentiment doux et tiède, presque désolant.

J'aurais pourtant tant aimé qu'elles me chauffent, me brûlent et s'inscrivent en moi. Que ce soit organique.

Il ne faut pas croire ce que l'on dit. Le palpitant ne s'emballe pas. Ni même l'âme.

J'ai beau écarquiller les yeux, respirer à pleins poumons, m'isoler dans l'instant, me concentrer, vouloir absorber une fois pour toutes la beauté du monde et des choses, rien de fulgurant ne se passe.

Plutôt un malaise, une espèce de douleur, une torsion de l'estomac, le mal du pays.

Sans doute mes dernières fois ont-elles l'allure de l'incrédulité. Je n'ai que des questions sans réponse.

Croire malgré tout que rien ne s'arrêtera, c'est notre indécrottable condition humaine, ou une réminiscence de l'enfance – encore, encore, encore… et, même au rebord de la vie, alors que j'ai planifié ma mort, je n'arrive pas à me persuader que c'est fini.

Rien ne disparaît. Tout continue d'exister, cette évidence interdit le leurre.

Je ne suis pas la vie, ni le monde. Je connais juste le prix faramineux de mon égo tourmenté.

Pour moi, il n'y aura plus d'autre printemps, plus de renaissance, de réveil de la nature, de bourgeons et de petites feuilles vert tendre qui se déplient sous la montée de la sève.

Plus de pieds nus dans la rosée, de lumière rasante. Plus d'aurore ni de clairs-obscurs entre chien et loup. Plus de pommiers en fleurs. De parfum des lilas, des iris et des pivoines, si subtils.

Plus de chaleur écrasante et de vrombissements d'abeilles. De dîners au jardin jusqu'à plus d'heure.

Je ne verrai plus revenir l'automne tardif, la petite route de Lormont sous sa voûte d'arbres mordorée qui éclairait ma journée lorsque je la grimpais à vélo.

Je ne foulerai plus dans un bruit de papier de soie froissé le tapis de feuilles qui rougissent le jardin.

Je ne fantasmerai plus sur le panier de cèpes de mon cher voisin. Je ne croquerai plus la poire juteuse, et ne ferai plus gicler dans ma bouche le jus de la mandarine acidulée.

Je ne contemplerai plus le cœur joyeux de Paris et ses bords de Seine jaune orangé, la brume et les frimas.

Je n'éprouverai plus l'impatience du moelleux des gros pulls qu'on enfile et la féerie du silence de la neige qui tombe.

Je ne ferai plus de sapin de Noël, de couronne de bienvenue et ne bricolerai plus, très appliquée, d'emballages personnalisés pour mes cadeaux.

Je vais descendre du manège enchanteur des saisons qui ne tournera plus pour moi.

De tout cela, j'ai eu pourtant conscience l'automne et l'hiver derniers. Trop vaguement sans doute, excepté les fêtes de fin d'année où j'étais pelée à vif. Pour nous consoler, mes amis m'ont fait danser en me tenant les bras écartés ; j'avais l'air d'un pingouin, dans un vacarme de boogie-woogie.

Pour oublier le carillon de minuit, on ne pouvait quand même pas me souhaiter une bonne année.

Je n'ai pas vécu du tout la réalité de la dernière fois où j'ai pu conduire, aller où bon me semblait ou prendre le train toute seule, moi qui aimais tant cela.

Le jour où j'en ai été incapable a le goût de l'horreur, et il a tout emporté.

Ni celle, plus grave, où j'ai pu faire l'amour l'esprit libre, de toutes mes bouches, de toutes mes mains, mes bras et mes jambes fougueuses.

Je ne me souviens plus du dernier moment où j'ai pu enlacer mes amours et mes amis.

Simplement lever les bras pour les passer autour de leur cou.

Mais n'est-ce pas mieux ainsi ?

De ne pas me dire « C'est la dernière fois » lorsque j'entends cascader le rire de ma fille ?

L'ultime en pleine conscience a simplement la saveur de la mélancolie ou du dépit, quand ce n'est pas celle de la détresse de l'achevé.

16.
Retour en Belgique

Je suis toujours suivie de façon très stricte en Belgique, selon la procédure légale.

Mon corps raidi dans sa gangue me domine un peu moins grâce à mes passeurs qui sont toujours là. Comme des ombres rassurantes au-dessus de mes jours, ils me veillent.

Nous nous sommes revus encore une fois. Ma fille est venue. Entre ces rendez-vous, je leur envoie des notes vocales, des courriels, nous nous téléphonons.

Le lien se tisse depuis des mois, très en amont du geste létal.

Ils suivent l'évolution de ma maladie et s'assurent de mon état psychique. Ils me rappellent encore que, jusqu'à la dernière minute, je peux changer d'avis et renoncer. Ils ont pris contact avec mes médecins qui, en France, continuent de m'accompagner en respectant ma décision.

Ils ne lâcheront pas ma main, assument leur engagement, sont d'une écoute et d'une douceur extrêmes. Il n'y a pas d'effroi.

Je me réconcilie avec une médecine qui ne veut plus m'obliger. C'est moi qui déciderai du jour où nous nous reverrons.

Ce que font mes passeurs de vie les grandit. Ils affirment, sans se cacher ni culpabiliser, la liberté de l'homme qui la réclame. Et ma fureur s'estompe.

Je lâche prise, redeviens moins dure, moins exigeante envers moi-même.

Une réminiscence de joie de vivre au cœur de l'orage.

17.
Le ciel du soir

Je ne veux manquer aucun soir d'été. L'humidité de la terre surchauffée mouille l'herbe, quelques merles sifflent encore.

J'aime les extrémités du jour, l'aube et le serein. Les pierres de la terrasse sont encore chaudes.

Dans le jardin – je ne dis plus « mon » jardin –, immobilisée sur le transat, je regarde le gros tilleul qui sait bien les années. Ses immenses branches me font la révérence.

Mon châle glisse de mes épaules et je ne peux pas le remonter.

Dans le ciel qui s'assombrit, j'observe le temps aéroporté, les si nombreuses traînées d'avions qui traversent les fuseaux horaires comme autant de lignes de fuite.

Et le vent fou depuis des semaines entraîne les nuages. C'est presque une provocation, cette chorégraphie furieuse, ce mouvement perpétuel qui faiblit si peu au coucher du soleil.

J'aurais tant envie de courir après, de jouer à saute-mouton, de fuir avec eux.

Je suis irritée, ce vent têtu m'agace.

Tout s'agite autour de ma pétrification. Les grands frênes se balancent, quelques pommes de pin dégringolent.

Je n'arrive même plus à saisir mes pensées qui jouent les filles de l'air.

À peine conçues, elles s'échappent, s'étirent et virevoltent à la suite des nuées.

J'appelle Rémy pour qu'il m'allume une cigarette à l'abri du vent.

J'ai recommencé à fumer. Ça m'occupe.

Je fume comme si j'étais en manque, la cigarette de travers entre deux doigts débiles, la tête sur les genoux – je ne peux plus utiliser les bras pour la monter à ma bouche.

Ma cervelle est en dentelle, des petits trous partout. Je suis capable d'une concentration intense lorsqu'il faut que j'affirme et défende mon choix de devancer la mort et, à l'opposé, une dispersion de l'esprit me terrasse quand je descends de mon cheval de bataille et lâche prise.

Mon cerveau n'est pas oisif, mais il ne fignole plus rien.

Je suis indolente, entre joie et chagrin.

Ce soir, la pensée de la mort m'habite. Sans morbidité, elle m'indiffère. Je ne redoute rien d'elle, même pas de quitter les miens ni de fuir la France.

Mon esprit anesthésié laisse s'effilocher les choses du vivant sans les retenir, se fiche bien de s'y coltiner. Il s'en libère et le vent s'y engouffre.

Je découvre que l'on peut ne penser strictement à rien. Longuement.

Je contemple les petites lumières clignotantes des avions animer ce ciel changeant. En attendant que ma nuit étoilée m'ensorcelle, je retrouve mon silence.

Après l'annonce, j'ai eu la certitude que j'allais danser, faire l'amour, tournoyer, courir, sauter, voyager, m'exciter dans une orgie de désirs et de plaisirs de toute nature, comme un immense doigt d'honneur à ma condamnation.

J'avais tant envie de ça, de ce corps en mouvement, de ce langage primitif qui ne passe pas par les mots, des muscles qui s'étirent et me portent, d'élan et d'ailleurs.

Mais rien de tout cela n'a été possible. Même plus à table.

Je n'ai pas pu me payer le luxe de me gaver de vie. Mes incapacités et ma dépendance me bouffent. Mon corps me boulotte.

Je ne peux pas vivre sans désirs. Ce silence bienvenu les endort, les anesthésie, jusqu'à les faire disparaître.

Alors je baisse les bras, au propre comme au figuré, et ma douleur existentielle est indicible.

La banda

C'est un dîner à l'improviste, sur la terrasse du *Globe* à Saint-Palais face à la plage. Je suis assise à la table du restaurant en attendant le retour de Rémy.

Puisque je ne peux plus manger, je bois une bière. Le serveur y a glissé ma paille. La mer remonte. Au large, un léger clapot invente une chevauchée de mille petits bancs de poissons argentés.

Que deviendrai-je parmi eux ? Algue ? Mouette rieuse ? Dauphin ? Corail ? Sable blanc transporté par le vent ? L'imaginaire fait voyager.

Une banda de jeunes musiciens enflamme l'esplanade, leurs saxos levés vers le soleil. Ils jouent des morceaux éclectiques, dansent, chantent, bondissent, font un feu d'artifice multicolore en lançant leurs tongs au ciel dans un tempo endiablé, entraînant le public dans leur joie de vivre.

Lorsqu'ils entament une java, mes larmes coulent sans que je puisse les arrêter et sans en connaître la cause. Je ne suis pas triste, je pleure simplement.

Ce soir, leur jeunesse, la beauté de leur don au public sans rien attendre en retour, là, face à l'Atlantique, me libère de mes questions obsessionnelles sans réponse.

Je suis là, demain je ne serai plus là, mais il y aura encore la java et ses accroche-cœurs, des mains aux fesses et des tailles souples.

Je largue les amarres. Je ne cherche plus à dire l'ineffable, ni l'impossible consolation pour moi, ou pour autrui.

On n'est pas sérieux quand on va mourir.

Remerciements

Dans ma boîte aux lettres, électronique et pos-
tale, chaque jour depuis six mois, je reçois des
lettres de femmes et d'hommes inconnus qui
suivent mon combat pour la liberté de choisir sa
fin de vie. Des mots forts, de la joie et de l'envie de
vivre, des confidences et des réflexions qui m'ap-
prennent encore tant de choses que je ne sais pas.

C'est aussi avec eux, grâce à eux que je poursuis
ma quête, et reste debout. Si l'amour des miens
me porte et me construit jusqu'au bout de mon
chemin, je trouve dans cette correspondance, très
intime et pourtant si universelle, l'amour frater-
nel, magnifique. Celui qui délie les cœurs, n'exige
pas de pudeur, mais se murmure pourtant pour
mieux se faire entendre. Celui qui trouve tous les

chemins, et fait croire en l'humanité bien au-delà de la foi religieuse.

Cette foi-là, en l'homme, cautionnée par aucun dieu, me réchauffe et contribue à ce que ma force de vie ne flanche pas quand l'été brûle trop fort. Puisque la mort fait partie de la vie « à defaut d'être gaie, elle mérite d'être belle et non souffrante ».

Merci donc à tous ces inconnus qui ont su être si proches.

Ce livre n'aurait pas vu le jour sans aide. Je remercie les éditions Fayard pour leur accueil et, du fond du cœur, mon éditrice Salomé Viaud qui a cru en mon texte, m'a prodigué ses précieux conseils et apporté son soutien et sa générosité pour pallier mes handicaps durant son écriture, tout au long de ce dernier été.

Mes remerciements vont aussi à mes proches si patients et à ceux qui porteront ce livre en mon nom puisque je ne serai plus là pour sa parution.

Table

Composition et mise en pages
Nord Compo à Villeneuve-d'Ascq

Impression réalisée par CPI
en septembre 2017

**PAPIER À BASE DE
FIBRES CERTIFIÉES**

Fayard s'engage pour
l'environnement en réduisant
l'empreinte carbone de ses livres.
Celle de cet exemplaire est de :
0,300 kg éq. CO_2
Rendez-vous sur
www.fayard-durable.fr

89-3761-8/03
Dépôt légal : septembre 2017
N° d'impression : 3025143
Imprimé en France